WAT IK NIET WIST VAN MIJN VRIENDIN

Wat ik niet wist van mijn vriendin

Katrien Vandewoude

Clavis

Voor alle vrienden en vriendinnen

Andere boeken van Katrien Vandewoude bij Clavis

de jurk van jan
De kattentuin
De schoentjes van Noor
Een draak op de weg
Een nieuwe oma
Een speciale brief
Mirakel
Opa zwijgt
Wie durft?

Katrien Vandewoude
Wat ik niet wist van mijn vriendin
© 2009 Clavis Uitgeverij, Hasselt – Amsterdam
Omslagontwerp: Studio Clavis
Trefw.: anders zijn, vriendschap, geheim, pesten, leermoeilijkheden
NUR 283
ISBN 978 90 448 1124 7
D/2009/4124/097

www.clavisbooks.com

Mixed Sources
Productgroep uit goed beheerde bossen
en andere gecontroleerde bronnen
www.fsc.org Cert no. SCS-COC-001256
© 1996 Forest Stewardship Council
FSC

Dit boek is gedrukt op papier met een certificaat
van de Forest Stewardship Council,
die verantwoord bosbeheer stimuleert.

Zoë

De bel gaat en ik ben het eerst bij de voordeur.

Voor me staat een meisje, ongeveer even groot als ik.

'Hallo,' zegt ze. 'Ik ben Astrid.'

Ik kijk haar aan en slik. 'Zoë,' zeg ik zacht.

Astrid glimlacht. Ze krijgt kuiltjes in haar wangen. En ze heeft krullen in haar haren, krullen die ik zo graag wil.

'We zijn vandaag verhuisd, ik woon daar,' zegt Astrid en ze wijst naar de overkant van de straat.

Ik knik. 'Ik zag vanochtend een verhuiswagen.'

'Ik heb jou naar ons zien kijken,' zegt Astrid. 'Je deed open voor je mama en je bleef nog even in het deurgat staan.'

'Klopt.' Ik voel mijn wangen warm worden. Dat Astrid dat allemaal gezien heeft.

'Ik moet boodschappen doen, maar ik ken de weg hier niet,' zegt Astrid. 'Kun jij even met me meegaan?'

Meegaan naar de supermarkt? Alleen met Astrid? Mijn hart gaat ineens vlugger slaan. Dat moet ik aan mama vragen. Maar als ik me omdraai, staat ze al achter mij.

'Mam, mag het?' vraag ik vlug. 'De supermarkt is toch dichtbij.'

Van de overkant komt een vrouw achter Astrid staan. Ze veegt een lok haar uit haar gezicht en steekt dan haar hand naar mama uit. 'Hallo, ik ben Astrids moeder. Mag jouw doch-

ter even met Astrid mee naar de supermarkt? We zijn druk be-
zig met uitpakken.'

'Natuurlijk, mevrouw,' hakkelt mama en ze schudt de hand
van Astrids moeder.

'Zullen we later uitgebreid kennismaken?' vraagt ze terwijl ze alweer de straat wil oversteken.

'Goed, hoor,' roept mama haar na.

Intussen heb ik mijn jas al aan.

'Voorzichtig zijn, Zoë, alleen de weg wijzen en achteraf meteen naar huis,' hoor ik mama nog zeggen, maar dan loop ik al
met Astrid over de stoep.

Astrid is een beetje groter dan ik. Dat merk ik nu ze naast
me loopt.

'Ik ben tien,' zeg ik, 'en jij?'

'Bijna tien,' zegt ze.

'Kom je van ver?' vraag ik.

Astrid noemt de naam van een plaats die ik niet ken. 'Met
de auto een uur hiervandaan,' zegt ze. 'Mijn mama heeft hier
werk gevonden. Daarom zijn we verhuisd.'

'Ik zag vanochtend twee jongens helpen met uitladen.'

'Dat zijn mijn broers, Hannes en Jeroen, een tweeling. Ze
zijn drie jaar ouder dan ik. Mijn papa woont niet bij ons.
Mijn ouders zijn gescheiden.'

'Ik heb alleen een grote zus,' zeg ik. 'Ze heet Leni en ze is al
ingenieur. Mijn papa is heel weinig thuis. Hij heeft altijd op-
drachten ver weg. Daar blijft hij dan vaak slapen. Meestal komt
hij alleen in het weekend naar huis.'

We lopen eerst door de Kwartellaan, dan door de Fazantdreef, rechtsaf door de Kievitlaan, maar niet helemaal tot op het eind, en dan via een steegje langs het speelplein. 't Pleintje heet het speelplein.

Op 't Pleintje staan speeltuigen voor kleine kinderen, banken voor grote mensen en struiken en boompjes om alles groen en gezellig te maken.

'Heel even een kijkje nemen,' zegt Astrid en ze loopt 't Pleintje op. Ik kan niet anders dan haar achternalopen.

'Leuk speelpleintje,' zegt Astrid.

Ik laat haar de schommels en de glijbaan en de klimtoren zien, en ik wijs ook naar de hoek waar een basketbalkorf hangt.

'Gaaf,' zegt Astrid. 'Kom je hier soms spelen?'

'Nee,' antwoord ik. 'In de buurt wonen geen kinderen van mijn leeftijd.'

'Kunnen wij hier morgen niet samen komen spelen?' vraagt Astrid.

'Goed, hoor,' zeg ik meteen, maar ik weet niet of mama dat wel goed zal vinden.

Als we 't Pleintje verlaten, zit Achiel op een bank.

'Dag Zoë,' zegt Achiel.

'Dag Achiel.' En omdat ik weet wat hij zal vragen, zeg ik vlug: 'Dit is Astrid. Ze is pas verhuisd. Ze woont recht tegenover mij. Ik wijs haar de weg naar de supermarkt.'

'Lief van jou,' zegt Achiel. 'Jullie worden vast vriendinnetjes.'

Een gloed stijgt naar mijn wangen. Achiel zegt precies waar ik al een beetje naar verlang.

'Zo, Astrid,' zegt hij. 'Het is vast erg druk bij jullie thuis. Gaan jullie maar vlug boodschappen doen.'

We groeten Achiel en terwijl we 't Pleintje af lopen, vraagt Astrid wie Achiel is. Ik vertel haar dat Achiel met pensioen is en dat hij bij 't Pleintje en de straat hoort.

'Je komt hem haast altijd tegen,' zeg ik, 'en hij weet alles van iedereen.'

'Dan weet hij nu alvast dat ik nieuw ben.'

'Maar dat wist ik dan toch eerder,' lach ik.

'Zeg, Zoë, ga jij hier in de buurt naar school?' vraagt Astrid ineens.

'Ik ga in de Kievitlaan,' zeg ik vlug, want aan school wil ik niet denken.

'Ik moet nog ingeschreven worden,' zegt Astrid.

'Het is toch nog vakantie.'

'Niet lang meer,' zegt Astrid langzaam.

'Ach,' met mijn schouders schud ik die woorden van me af. 'Astrid' en 'school', dat hoort echt niet bij elkaar.

'Als je tussen die twee huizenblokken door loopt, kom je zo op het parkeerterrein van de supermarkt,' wijs ik en ik wil me al omdraaien om naar huis te lopen.

'Je komt toch mee, Zoë?' vraagt Astrid.

'Natuurlijk loop ik met je mee!' zeg ik.

Astrid

Een voor een haal ik mijn schoolschriften uit een verhuisdoos en ik zet ze in mijn boekenkast: taal, rekenen, aardrijkskunde, geschiedenis ... Mijn hand glijdt over de gladde kaften, ik adem de geur van school in. In mijn schriften is bijna alles blauw, behalve de cijfers en de woorden van de meester, die zijn rood en ... mooi: *10 op 10, 20 op 20 ... Goed zo, uitstekend, proficiat ...*

Tot ik het schrift met vraagstukken in handen krijg. Ruw en bobbelig. Rood en blauw lopen door elkaar.

Ik stop het vlug onder in de stapel. Maar de randjes blijf ik zien. En wat er met het schrift gebeurd is, zie ik weer allemaal voor me: hoe het in het water lag, hoe die pestkoppen het even daarvoor 'per ongeluk' in die plas lieten vallen ... Ik wil er niet aan denken! En toch ...

Volgende week moet ik hier voor het eerst naar school. Hoe zullen de kinderen hier zijn?

Ik stop het schrift wat beter onder de stapel, zodat ik ook de randjes niet meer zie. Niemand kent me. Niemand weet wie ik ben.

Niet alle kinderen zijn pestkoppen, zegt mama, je zult wel zien, het valt allemaal best mee. We zoeken hier in de buurt een fijne school. Je krijgt er vast gauw vriendinnen.

Hoe weet mama dat zo zeker?

En toch … misschien wil Zoë mijn vriendin worden? Ze lijkt wel lief. Ze wees me de weg naar de supermarkt, ze hielp me met de boodschappen, ze droeg zelfs de helft van de weg mijn zware rugzak. En ze wil morgen met me spelen.

Vraag ik mama straks eens naar die school waar Zoë gaat? In de Kievitlaan?

Zoë

Het is heerlijk weer. Ik zit samen met Leni in de tuin onder de parasol. Leni leest een of ander studieboek. Ze is heel knap, mijn zus. Ze studeert verder voor een tweede diploma.

Ik oefen rekenen. Tot vorig jaar kon ik redelijk goed rekenen. Als ik op school iets niet snapte, legde mama het me uit. Maar vorig jaar zat ik bij meester Ludo. Hij legde alles op zo'n ingewikkelde manier uit. Bovendien werd ik ziek, eerst een week in de herfst en dan nog eens twee weken in de winter. Toen ik terugkwam, snapte ik er niets meer van. Metend rekenen, klok lezen, breuken, het deed me allemaal duizelen. Daarom moet ik nu elke dag extra oefenen.

Mama zegt dat alles goed komt als ik maar veel oefen. Soms moet ik ook taal oefenen. Dat vind ik niet zo erg, ik houd van taal en ik lees graag hardop voor. Mijn taalvakken zijn goed. Maar mama wil dat ook taal nog beter gaat. Bovendien is ze bang dat ik, nu het vakantie is, alles zal vergeten. Ik vergeet heel vlug de leerstof omdat ik te vroeg geboren ben, zegt mama. Ik denk dat mijn hoofd daardoor wat kleiner is en er minder tegelijk in kan. En als er wat bij komt, vergeet ik vaak wat ik al geleerd heb, veel vlugger dan een ander kind.

Voor mij ligt een oefenboek. Het ziet er heel vrolijk uit. Er staan veel tekeningen in en ook taal- en rekenspelletjes. Maar zelfs spelletjes zijn saai als het om rekenen gaat.

Leni heeft een spelletje met vermenigvuldigingen aange-duid. Een ijslolly is in vakjes verdeeld en alle vakjes met dezelf-de kleur hebben hetzelfde product.

De tafels van vermenigvuldiging heb ik al drie jaar geleden geleerd, maar ik vergeet ze telkens weer. Maar vandaag helpt Leni me. Met haar valt dat gereken best wel mee.

'Ik leg het je nog eens uit,' zegt ze. Ze komt heel dicht bij me zitten en ik ruik haar geur van bloemetjes. Ze leert me allerlei trucs, zoals bij de tafel van vijf: daar moet ik eerst maal tien doen en dan door twee delen. En bij de tafel van zes en zeven maakt ze tekeningen en zegt ze versjes op. Mijn ijslolly krijgt laagjes chocoladebruin, vanillegeel, framboosroze, kiwigroen en aardbeirood.

De bel gaat en Leni loopt naar de voordeur. Heel snel is ze terug.

'Het was Astrid,' zegt ze. 'Ze vroeg of je met haar boodschap-pen wilde doen en daarna op 't Pleintje ging spelen.'

Ik kom al overeind.

Maar Leni gaat verder. 'Ik heb gezegd dat je de tafels van vermenigvuldiging aan het oefenen bent.'

'Wat!' schiet mijn stem uit. 'Waarom zeg je dat ik tafels maak!'

'Het is toch waar!' zegt Leni.

'Je moet niet zeggen dat ik rekenen oefen.' Met een klap gooi ik mijn boek dicht. 'Wie maakt er nu schoolwerk in de vakantie?'

'Zoë toch,' zegt Leni zacht. Haar wenkbrauwen staan in een driehoek.

'Jij hebt vroeger vast nooit voor school gewerkt in de vakantie,' zeg ik.

'Toch wel,' zegt Leni. 'Ik deed het graag.'

'Niet waar!' roep ik.

Maar ik weet dat het wél waar is. Leni is heel knap. Mama zegt het ook zo vaak: kijk naar Leni. Ze heeft veel geoefend en ze is al ingenieur. Ze studeert zelfs voor een tweede diploma.

'Mama wil dat ik even knap word als jij.' Ik kijk niet naar Leni, maar naar de franjes van de parasol. Die bewegen zachtjes in de wind.

'Zoë! Denk jij dat echt?' Leni's stem klinkt schril. Ze slikt. Zelfs dát kan ik horen. Zo stil is het ineens.

'Zoë,' zegt ze zacht. 'Mama en papa houden van jou. Daarom willen ze gewoon graag dat je het goed doet.'

Ik stik haast in zoveel onzin: papa en mama houden van mij! En daarom moet ik iets doen dat ik helemaal niet graag doe?

Astrid

Wat jammer dat Zoë niet met me mee kan. Ach, ik vind de weg die ik gisteren met haar liep alleen ook wel terug.

Kwartellaan …

Ik heb Zoë daarnet niet eens gezien. Er deed een jonge vrouw open. Ik vroeg naar Zoë en ze zei dat ze Leni, de zus van Zoë, was. Ze deed alsof ze Zoë's oppas was. Als je tien bent, heb je toch geen oppas meer nodig?

Fazantdreef, niet helemaal tot op het eind …

Mijn broers en ik, we letten wel op onszelf terwijl mama werkt. We krijgen elk een taak. Vandaag moeten mijn broers stofzuigen en ik doe de boodschappen en de afwas.

Kievitlaan, ik ben bijna aan 't Pleintje …

Hé, daar zijn net twee schommels vrij. Toch jammer dat Zoë niet met me mee is. Konden we samen schommelen.

Daar is het parkeerterrein van de supermarkt al. Een auto claxonneert, ik spring opzij.

Leni zei dat Zoë de tafels van vermenigvuldiging oefende en dat ze daarom niet met me mee kon. Dat is toch vreemd. Wie maakt er nou tafels in de vakantie? Was dat een straf of zo?

Ik haal mijn lijstje uit. *Gehakt*, lees ik, *twaalfhonderd gram*. In de koelkasten met vlees … *Groentemengeling*. Bij de versafdeling …

Gisteren was Zoë bij me. Nu mis ik haar.

Tomaten in blik.

Ik kan al naar de kassa. Ik leg mijn aankopen op de band.

Vanmiddag probeer ik zeker nóg een keer bij Zoë aan te bellen.

Zoë

Het is zaterdag. Dan heeft papa, die anders heel hard moet werken en bijna nooit thuis is, tijd. Hij haalt broodjes en croissants, en we ontbijten allemaal samen. Heel uitgebreid. Met veel tijd om te kletsen.

Mama vertelt papa over de nieuwe mensen aan de overkant.

'Er is een meisje bij, papa,' zeg ik. 'Ze heet Astrid en ik heb haar de eerste dag al de weg naar supermarkt gewezen.'

'En gisterochtend wilde Astrid al met Zoë spelen,' zegt Leni.

'Na de middag kwam ze nog een keer aanbellen,' vertelt mama verder. 'Maar toen gingen Zoë en ik op bezoek bij oma.'

Ik hoop dat papa zegt: Zoë, ga jij nu eens bij haar aanbellen. Maar ik weet niet of ik dat wel wil. Na wat Leni over dat rekenen heeft gezegd …

'Ik ga vanmiddag eens uitgebreid met Astrids moeder kennismaken,' zegt mama. 'Dat hebben we enkele dagen geleden afgesproken.'

Mijn hart bonkt ineens luid in mijn oren.

Na de middag ben ik met mama bij Astrid. Onze mama's zijn meteen druk aan het kletsen. Astrids mama vraagt iets over mijn school in de Kievitlaan. Over school wil ik niets horen, maar Astrid staat wel te luisteren.

'Astrid doet het erg goed op school,' zegt Astrids mama. 'Ze is bij de besten van de klas.'

Dat vindt mama vast oké. Als ze nu maar niet over mij begint.

'O, Zoë doet het ook goed, hoor,' zegt mama. 'Ze doet zo haar best, ook al werd ze te vroeg geboren. En bovendien is ze een nakomertje.'

Waarom vertelt mama dat toch allemaal? Waarom vertelt ze dat waar Astrid bij is? Waarom vertelt ze dat altijd tegen iedereen? Iedereen kijkt me dan aan met een verbaasde blik in de ogen. Ik ben toch niet achterlijk omdat ik een nakomertje ben!

Ik trek aan mama's mouw. 'Mam, mogen we nu even op 't Pleintje spelen?'

Mama kan niets antwoorden, want Astrids mama is haar voor. 'Ja, hoor, gaan jullie maar.' Ze haalt haar portemonnee boven. 'Om vijf uur thuis, Astrid, en haal nog een brood in de supermarkt. Jullie krijgen elk één euro voor een drankje.'

'Eh,' hakkelt mama. 'Oké, Zoë, loop maar mee met Astrid. Volgende keer trakteer ik jullie op een drankje.' Ze draait zich om en vertelt verder tegen Astrids mama. 'Na Zoë's geboorte ben ik deeltijds gaan werken.'

'Kom je mee?' vraagt Astrid.

Natuurlijk loop ik Astrid achterna. Maar mijn benen wegen veel te zwaar. Wat moet ze wel van me denken? Eerst Leni die over dat rekenen begon en nu mama die weer zegt dat ik te vroeg geboren ben, maar het toch zo goed doe op school.

Astrid

'Gisterochtend kon ik echt niet met je spelen,' zegt Zoë op weg naar 't Pleintje.

'Je zus zei dat je de tafels van vermenigvuldiging oefende,' zeg ik.

'Heeft ze dat echt gezegd?' Zoë's stem klinkt hoog. 'Dat was een grapje, natuurlijk. Ik ben niet gek, hoor! De tafels, die ken ik toch allang, ik kan goed rekenen, hoor! Nee, ik bakte samen met haar een cake voor oma. We gingen oma na de middag bezoeken.'

'Dacht ik al,' mompel ik. Maar … waarom vertelt Zoë dat allemaal? Leni zei nochtans heel gewoon dat Zoë de tafels aan het oefenen was. Ze leek niet echt een grapje te maken.

Op 't Pleintje kruipen we meteen op de klimtoren, daarna roetsjen we van de glijbaan. We slaan een praatje met Achiel, want die is er natuurlijk ook. En dan gaan we op de schommels zitten en daar blijven we heel lang kletsen … tot het tijd is om brood te halen.

'Lopen we door de speelgoedafdeling?' vraagt Zoë als we in de supermarkt zijn.

'Oké,' zeg ik. Zoë vraagt net wat ik ook zo graag wilde doen.

We lopen langs de computers. Maar alle toestellen waar je een spelletje op kunt spelen, zijn bezet. We lopen voorbij het babyspeelgoed, de lego, de auto's, de renbanen … Bij de poppen blijven we heel even staan, die zijn mooi om naar te kijken, maar echt niet meer voor ons. En dan staan we bij een stand met spullen om zelf sieraden te maken.

Ik wijs naar dozen vol glimmende bolletjes. 'Zoë, wat denk je van die kraaltjes? Kunnen we een leuk halssnoer van maken.'

'We hebben elk maar één euro voor een drankje,' zucht Zoë.

'Maar we kunnen doen alsof we rijk zijn. Wat zou jij kopen?'

'Kraaltjes,' zegt Zoë met haar neus in de lucht, 'meteen de hele stand.'

'Dat make-upsetje,' wijs ik.

'Een groot pak klei,' zegt Zoë. 'Om te boetseren. We maken een heleboel beelden en dan houden we een tentoonstelling. Dan mag iedereen komen kijken en natuurlijk vragen we inkomgeld.'

'Dat hoeft toch niet,' zeg ik. 'We zijn toch rijk.'

'Ja,' lacht Zoë. 'Was dat maar waar.'

We zijn bij de speelgoedbeesten aangekomen en ik pak een krokodil uit het rek.

'Grr,' doe ik.

Zoë hangt een slang rond haar hals. 'Sss.'

We pakken het ene beest na het andere: een beer, een hond, een schildpad … En we blaffen of grommen of zeggen niets als het om een stil dier gaat.

'Ze zijn zo leuk,' zeg ik.

'Allemaal kopen met ons grote fortuin.' Zoë maakt een breed gebaar.

'En ik heb pas al mijn knuffels weggedaan bij de verhuizing,' zucht ik.

'Toch kunnen ze zo schattig zijn,' zegt Zoë. Ze staat nu bij een staander met kleine knuffelpopjes. Er hangen metalen ringetjes aan hun rug of hals. Het zijn sleutelhangers.

'Hé, dit kunnen we vastmaken aan het lusje van onze broeksband,' zeg ik.

Zoë en ik grijpen bijna tegelijkertijd naar hetzelfde popje. Toch is Zoë eerst. Ze houdt het bij één oortje vast. Twee benen bungelen naar beneden en de armen hangen slap langs het lijfje. Het popje is dieprood, het heeft een oranje neus en twee zwarte oogjes met witte puntjes. En op zijn buik zit een zachtroze hartje.

'O,' doe ik.

'Luister eens, Astrid,' zegt Zoë zacht. 'Het lijkt alsof het ademt als ik het beweeg.'

Ik hoor het popje zacht zuchten en weet natuurlijk dat het de vulling is die ritselt, maar toch is het een beetje alsof het echt leeft.

Ik stop mijn handen onder zijn benen en het is zo klein dat het in de kom van mijn hand past. En het voelt zo zacht …

'Wat is dit voor een dier?' vraagt Zoë.

'Een koe?' probeer ik.

'Een hond?'

'Een varken?'

'Of is het geen dier?' vraagt Zoë.

We kijken elkaar aan en houden 'het' intussen samen vast. Zoë aan één oor en ik nog altijd met mijn handen onder zijn benen.

'We kunnen het kopen,' zeg ik met een blik op het prijsetiket. 'Het kost maar één euro en negenennegentig cent. Ik heb één euro en jij toch ook.'

Zoë knikt.

'Dan hebben we zelfs nog één cent over,' lach ik.

'Naar de kassa,' zeggen we bijna tegelijkertijd.

'Hoe gaan we het noemen?' vraag ik als we naar buiten lopen.

'Weet ik niet.' Zoë klemt 'het' in de schelp van haar hand tegen haar borst. 'Roodbeest?'

'Rozehart?'

'Hartenpop?'

Ik schud mijn hoofd. 'We moeten een naam verzinnen die nog niemand heeft gekregen en die wij alleen hebben uitgevonden.'

'Kieteldebietel,' zegt Zoë en ze kriebelt onder zijn armen.

'Harabots.'

'Grogliklem.'

'Streaovoetskala.' Ik wring mijn mond in gekke bochten en Zoë doet me na.

'Givrstrakilili.'

We verzinnen de gekste namen en we giechelen, lachen, gieren. We komen haast niet meer bij.

'Houd op,' zeg ik. 'Ik doe het bijna in mijn broek.'

We houden onze lach en onze adem in.

En dan zegt Zoë: 'Ik weet het! We noemen het Zori. Dat zijn twee letters uit jouw naam en twee uit de mijne.'

'Wat goed!' roep ik. Dat ik daar zelf niet aan gedacht heb. Knap vind ik dat.

Zoë

Ik gooi Zori in de lucht en vang hem op. Ik gooi, ik vang, ik gooi …

Ik ben zo blij, zo blij om wat Astrid daarnet heeft gezegd.

'Zori is van ons tweeën,' zei ze. 'Want we hebben hem samen gekocht. We gaan er samen voor zorgen.'

'Om beurten?' vroeg ik.

Astrid knikte. 'Jij houdt hem een nacht en daarna zorg ik een nacht voor hem. En als we overdag samen zijn, dan is hij bij ons tweetjes.'

'Oké, wie zorgt er het eerst voor?'

Astrid haalde de overgebleven cent tevoorschijn. 'Kop of munt?' vroeg ze.

'Kies jij maar,' zei ik.

'Kop,' zei Astrid en ze gooide. Munt lag bovenaan. Ik kreeg Zori mee naar huis en maakte hem meteen vast aan het lusje van mijn broeksband.

En mama … die vond Zori zo lief. Ze was heel blij dat ik een vriendinnetje had.

Ik gooi Zori nog eens in de lucht en houd hem dan stevig vast. Ik wil het hem allemaal nog een keer vertellen.

Maar hij weet natuurlijk alles al. Hij was erbij.

Astrid

Mama en ik zijn me net gaan inschrijven in de Kievitlaan. Ik ga nu naar dezelfde school als Zoë. Ik zit zelfs in dezelfde klas. We kunnen samen gaan. Elke dag.

Maar hoe moet het op school met Zori? Nu ruilen we hem elke dag. Dat kan natuurlijk ook als we naar school gaan, maar in de klas zullen we hem niet meer voortdurend bij ons kunnen houden. Nu is Zori altijd bij ons: spelen we in de tuin, dan ligt hij op een zakdoek in het gras; rijgen we kralen, dan krijgt hij een piepklein halssnoertje; zitten we aan de computer, dan zit hij boven op het scherm te kijken; boetseren we met klei, dan is hij het model; doen we boodschappen, dan bengelt hij aan onze rugzak; gaan we naar 't Pleintje, dan hangt hij aan het lusje van mijn broeksband of aan dat van Zoë ...

Maar kan hij ook mee als we naar school gaan? Hangen we hem aan onze boekentas? Of aan onze pennenzak? Of aan het lusje van onze broeksband? En hoe zal het op die nieuwe school zijn? Hoe zijn de kinderen?

Zullen ze ook achter mijn rug fluisteren: kijk eens hoe Astrid haar best doet om hardop te lezen? Roddelen ze hier ook onder elkaar: ach, die cijfers voor rekenen kan ze niet alleen halen, haar mama helpt haar vast? Zeggen ze ook sorry als een spel 'toevallig' maar voor vier is en ik als vijfde graag wil meespelen? Doen ze ook alsof hun neus bloedt als ik mijn gympak niet meer vind terwijl ik weet dat ik het aan de kapstok heb gehangen? Of gooien ze de harde woorden recht in mijn gezicht: slijmerd, uitsloofster, moederskindje …

Alleen Zoë kan het weten.

Maar ik heb haar nog niets durven te vragen over school en ze zegt er zelf ook niets over.

Waarom?

Zoë

'Ik ben ingeschreven in de Kievitlaan,' zegt Astrid.

Astrid! In mijn school! Ik krijg een klap in mijn gezicht.

'En we zitten samen in de klas,' zegt Astrid. 'Dat heeft de directrice bij de inschrijving gezegd. Goed, hè?'

'Ja, ja,' hakkel ik.

'We kunnen elke dag samen naar school gaan.' Astrids krullen dansen op en neer.

'Ja, goed idee,' zeg ik en ik recht mijn rug, maar eigenlijk voel ik me als een muis die vlug in haar holletje wil kruipen.

'Vertel eens, wie zit er zoal allemaal in onze klas?' vraagt Astrid.

Ik heb zoveel mogelijk niet aan school gedacht dat ik moeite moet doen om weer aan al mijn klasgenoten te denken. 'Nou ja, Anke, Siegfried, Gil, Evelien, Tessa, Anja …'

'Zeg, Zoë, zo weet ik nog niets,' zegt Astrid. 'Jij somt alleen maar namen op. Je moet zeggen hoe ze zijn.'

'Hoe ze zijn?'

'Ja, zijn ze leuk om mee te spelen? Of zijn het vervelende klieren of zo.'

'O.' Ik hap naar adem. Ik vind het best moeilijk om te zeggen hoe ze zijn.

'Nou,' begin ik, 'Anke en Siegfried … eh … die zijn gewoon. Gil kan grappig uit de hoek komen. Evelien is een lachebek …'

'Zijn er kinderen die vaak met elkaar optrekken?' vraagt Astrid.

'Tessa en Anja,' antwoord ik. 'Die wonen in dezelfde buurt …'

'Ik bedoel kliekjes.'

'Kliekjes?'

'Ja, je weet wel, kinderen die altijd samenklitten, met wie je niet mag meespelen.'

'Johanna,' zeg ik langzaam. 'Met Geertrui en Latifa en Benny en Jeroen.'

Ineens voel ik hen weer dicht bij me. Zij weten dat ik niet kan rekenen. Dat zeggen ze niet vlakaf in mijn gezicht. Dat zeggen ze achter mijn rug. Ze fezelen en ze fluisteren, ze zeggen dingen die ik niet mag horen. Alsof ze toverformules uitspreken. Johanna, de opperheks. Geertrui, Latifa, Benny en Jeroen, de heksen en tovenaars. En soms lijkt het of niet alleen zij, maar alle kinderen van de klas heksen en tovenaars worden en me betoveren zodat ik het nog minder kan, zodat ik helemaal niets meer kan.

'Zijn het … pestkoppen?' vraagt Astrid zacht.

'Nee,' schrik ik. 'Nee, geen pestkoppen. Het is gewoon … een kliekje.'

'Een kliekje,' herhaalt Astrid.

Ik weet het al, ze gelooft me niet.

'Zoë,' zegt Astrid zacht. 'We nemen Zori toch mee naar school?'

Ik knik. Heel heftig. 'We hangen hem aan onze boekentas, elke dag.'

'We doen een wens.' Astrid pakt Zori op, ze legt haar hand op zijn hoofdje en legt dan mijn hand op die van haar.

Ze dempt haar stem: 'We vertellen onze wens niet aan elkaar. Anders komt hij niet uit.'

Ik durf niets te zeggen. Met mijn andere hand houd ik mijn mond dicht. Het wordt erg stil. Maar in mijn hoofd klinkt mijn wens heel helder: ik wil dat Astrid mijn vriendin blijft en dat ze nooit merkt dat ik niet kan rekenen. Want zij is toch bij de besten van de klas?

Astrid stopt Zori in mijn handen.

Wat heeft zij gewenst? Nee, dat mag ik niet weten. Nooit!

'Het is jouw beurt om voor hem te zorgen. Breng je hem morgen mee naar school?' Astrids stem trilt diep in haar keel.

Ik knik alleen maar ja. Mijn woorden zitten nog veel dieper.

Astrid

De kinderen van mijn nieuwe klas staan om me heen. Ze vragen hoe ik heet en ik zeg dat ik Astrid ben en wil weten wie zij zijn. Ze roepen allemaal door elkaar: ik ben Tessa, ik ben Karlijn, ik ben Siegfried, ik ben Lotte, ik ben Latifa … Ik herken enkele namen die Zoë heeft genoemd en prent bij elke naam een gezicht als een foto in mijn hoofd. Tot ik Johanna hoor. Johanna is mooi als een plaatje: blond halflang haar, fijn gezichtje. Maar rond haar ogen zitten spotrimpels. Ze kijkt me aan alsof er van alles verkeerd aan me zit. Dat zie ik liever niet. Ik kijk de speelplaats rond en zoek Zoë. Waar is ze toch? Daarnet waren we toch nog samen?

Het duurt een poos voor ik Zoë zie. Ze staat aan de rand van de kring die om me heen troept en ze houdt Zori met zijn metalen ringetje aan haar wijsvinger. Zijn beentjes bungelen in het ijle. Ze wil hem natuurlijk aan mij geven.

Ineens weet ik dat dit niet goed is. Ik moet zo vlug mogelijk bij haar zien te komen om Zori over te nemen. Maar de kring blijft om me heen knellen. Ze vragen waar ik vandaan kom en hoe lang ik hier al woon en of ik broers en zussen heb en waar mijn huis precies staat. Pas als de bel gaat, kan ik bij Zoë komen.

'Hier heb je Zori,' fluistert ze en ze wil hem in mijn hand stoppen. Maar o nee, hij glijdt van haar vinger en valt op de grond.

'O, Zoë heeft een knuffelpopje meegebracht naar school.' Johanna's stem klinkt fout. Hij snerpt in mijn oren. Opeens hoor ik giechelen en gniffelen.

Ik ga vlak naast Zoë staan: 'Dat is gewoon een sleutelhanger,' zeg ik. 'Van ons allebei.' En ik stop Zori in mijn tas.

Johanna gaapt Zoë aan alsof ze net zo nieuw is als ik. Ineens lijkt het of Zori iets minder van ons alleen is. Ik pak Zoë bij de elleboog en we laten Johanna onze rug zien.

Als we een eind van haar vandaan zijn, fluister ik Zoë in het oor: 'Op school houden we Zori voortaan altijd in onze boekentas. We halen hem niet meer uit op de speelplaats.'

Zoë zegt niets, maar haar grote ogen spreken me niet tegen.

Zoë

Onze nieuwe juf heet Paulien. Ze lijkt een beetje op Leni. Ze vertelt dat ze nog maar pas afgestudeerd is en dat wij haar eerste klasje zijn.

Ze is echt super. We mogen zelfs naast onze vriend of vriendin zitten. Als we tenminste zwijgen en goed blijven opletten. Ik schuif natuurlijk vlug in de bank naast Astrid.

Toch knaagt er iets in mijn buik. Waarom was ik zo dom om Zori aan iedereen te laten zien? Astrid vindt me vast een oen.

'Vandaag leren we nog niets,' hoor ik juf Paulien zeggen.

Oef, denk ik, alvast geen rekenen.

'We maken eerst kennis met elkaar,' zegt juf.

Astrid stoot me aan. Ik kijk haar aan. Rond haar ogen zitten lachrimpeltjes. Vindt ze me dan toch geen oen?

Astrid

Ik kijk de klas rond en zoek naar degenen voor wie ik het meest moet opletten. Ik wil vooral gewoon doen en niet laten zien dat ik bang ben. Zoë helpt me vast. Wij helpen elkaar. En Zori is toch bij ons. Hoewel, daarnet ging het bijna fout.

Juf Paulien wil dat we kennismaken. Ieder van ons mag zeggen wie hij is en kort vertellen wat hij in de vakantie heeft gedaan.

Als het mijn beurt is, zeg ik: 'Ik ben Astrid en ik ben hier pas komen wonen, maar ik ken Zoë al. Ik heb in de vakantie met haar gespeeld.'

Ik kijk Zoë aan. Zij kijkt naar mij.

Ik haal diep adem.

Zoë

Vandaag is het dinsdag. Dinsdag is anders dan de andere dagen van de week omdat er dan niemand thuis is als ik van school kom. Leni niet, want die woont in de week op kamers, en mama ook niet, want die gaat op dinsdag naar oma.

Ik heb de sleutel meegekregen en wacht tot mama thuis is. Mama heeft gezegd dat ik meteen met mijn huiswerk moet beginnen, maar ik kijk toch eerst naar een tekenfilm op televisie.

Daarna doe ik mijn boekentas open. Tegen mijn zin, want vandaag hebben we breuken opgekregen. Dat hebben we vorig jaar al geleerd en juf Paulien heeft in de klas alles nog eens uitgelegd. Toch snapte ik er niet veel van. Misschien kan ik toch beter wachten tot mama thuiskomt. Er is trouwens nog een andere tekenfilm op televisie.

En dan rinkelt de telefoon.

'Zoë,' hoor ik mama's stem aan de andere kant van de lijn. 'Ik zit in een monsterfile, het duurt zeker nog twee uur voor ik thuis ben.'

'O mam, duurt het echt nog zo lang? We hebben een taak voor rekenen gekregen en ik weet echt niet hoe het moet.'

'Probeer toch maar alleen je taak te maken, Zoë. En als je honger krijgt, er is brood in de trommel en …'

'Mam?' Ik hoor alleen maar stilte. 'Mam?'

De verbinding is verbroken.

Brood in de trommel, klinken mama's laatste woorden nog in mijn hoofd. Ik heb geen honger. Die breuken zitten al in mijn maag.

Ik pak mijn pennenzak. Zori hangt aan de ritssluiting. Ik maak hem los en zet hem vlak voor me.

We moeten de breuken rangschikken van groot naar klein, zie ik. Dat is iets met de noemer en de teller. Als het ene of het andere kleiner of groter is, dan is ook de breuk kleiner of groter.

Ik probeer de eerste oefening te maken. Maar ik weet zelfs niet meer wat de teller of de noemer is. Ik probeer oefening twee en dan oefening drie en dan nummer vier … Op den duur vul ik overal zomaar iets in.

Ik voel het al. Het is allemaal fout!

Het lukt me niet. Ik kan het niet!

'Zori, help me,' fluister ik in zijn oor. 'Jij weet toch wat ik heb gewenst. Met jou kan het niet fout gaan.'

Maar Zori zegt niets.

'Kon jij maar praten. Dan kon je me vertellen wat Astrid heeft gewenst. Ik snap niet wat zij moet wensen. Bij haar gaat toch alles goed. Ze kan altijd alles. Hardop lezen doet ze vlot, ze spelt zonder fouten, haar rekenoefeningen zijn altijd juist. En als ik naar haar schriften gluur, zie ik dat ze nooit iets doorhaalt. Ze heeft meteen alles juist en haar schriften zijn heel net. Waarom kan ik dat niet?'

Zori zwijgt.

Waar blijft mama toch? Ze moet me helpen! Ik wil niet afgaan voor de klas, en zeker niet voor Astrid. Ik houd Zori in mijn vuist en heel dicht tegen mijn wang.

Buiten begint het al te schemeren, maar ik doe de overgordijnen niet dicht. Ik steek het licht niet aan. Ik tuur maar door het raam, blijf maar door het raam turen. Wanneer zal ik de koplampen van mama's auto zien? Mijn hoofd zakt op mijn blad. Er valt iets op de grond.

Ik word pas wakker van mama's stem.

'Zoë, zit je hier nog?' Mama's arm ligt om mijn schouders. 'Wat erg dat ik je niet meer kon bereiken. De batterij van mijn gsm was leeg.'

Ik knik. Er is nog iets dat ik samen met mama moet doen. Maar ik ben zo moe, zo moe.

Ze raapt iets op, ze duwt het in mijn handen. Ik voel een koud metalen ringetje. Het is Zori.

'Zoë, heb je al iets gegeten?' vraagt mama.

'Ja.' Maar ik schud met mijn hoofd van nee.

'Zal ik een kop warme melk maken?'

Ik blijf met mijn hoofd schudden.

Mama pakt mijn blad van tafel. 'Zoë, lukte het niet met de breuken?'

De breuken!

'Mam, je moet ze nakijken. Morgen krijgen we een toets. Ik móét het kunnen.'

Mama staart naar mijn blad. Ze spant haar mond strak, de hoekjes gaan naar beneden. 'Maar Zoë, dit hebben we in de vakantie nog geoefend.'

'…'

'Ik leg het nog eens uit,' zegt ze en ze zegt dat ik opnieuw moet beginnen. Maar het is weer fout. Opnieuw en weer fout en …

Mama stopt een geeuw achter haar hand. Ze is ook moe en ik zit hier maar te klungelen.

'Ik kan het niet!' huil ik.

'Zoë, iedereen kan dit. Zo moeilijk is het niet.'

Ja, iedereen, behalve ik.

'Ik doe toch zo mijn best om het uit te leggen,' zegt ze.

'Je kunt het niet. Leni legt het veel beter uit!' roep ik.

Mama draait zich om. Het wordt heel erg stil. Maar de boze woorden blijven in de stilte hangen.

Mijn ogen prikken, ze lopen vol tranen. Ik haat die breuken. En toch wil ik die zo graag kunnen oplossen. Op mijn blad valt een druppel.

'Wil je het nog eens uitleggen, mama?' vraag ik zacht.

Mama komt naast me zitten, ze pakt me vast, trekt me dicht tegen zich aan. Ik wil dat ze me nooit meer loslaat.

'Maak ik toch eerst een kop warme melk?' vraagt ze.

Ik knik. Mama loopt al naar de keuken. 'Zal ik morgen een briefje voor de juf meegeven? En zeggen dat je vanavond ziek was en je taak niet kon maken?'

'Nee! Ik wil die breuken maken.' Ineens weet ik het weer. 'Mam, Leni had een truc. Iets van bovenaan en onderaan.'

Mama komt de kamer in met twee koppen dampende melk. 'Nu weet ik het ook weer: de teller staat boven aan de top. Dat is twee keer t: één keer van teller en één keer van top. En de noemer …'

'… die staat onderaan,' zeg ik. 'Hoe groter de noemer, hoe kleiner de breuk en dan moet je eerst alle noemers gelijk maken en …'

Ik let heel goed op. Nu snap ik het. Ik maak mijn huiswerk bijna zonder fouten.

Als alles nu maar tot morgen in mijn hoofd blijft.

Astrid

Ik zit in de klas, maar Zoë niet. Waar blijft ze toch? Toen ik vanochtend bij haar ging aanbellen, deed haar moeder open. Ze zei dat Zoë wat later zou vertrekken en dat ik alvast naar school moest gaan. Maar ze zei niet waarom en ik kreeg Zoë niet te zien. Ik zat me de hele weg af te vragen wat er toch kon zijn: had ze zich verslapen? Was ze ziek? Moest ze naar de tandarts?

Door het raam zie ik Zoë en haar moeder de speelplaats oversteken. Eindelijk, daar is ze. Even later wordt er op de deur van onze klas geklopt.

'Ja,' zegt juf.

Zoë komt binnen. Ze loopt naar voren en geeft juf een briefje en haar huiswerkschrift. Juf legt het schrift op tafel en vouwt het briefje open.

De klas begint te roezemoezen.

'Ze heeft vast haar taak niet gemaakt.'

'Ze is weer "zogezegd" ziek geweest.'

'Heb je het ook gezien, haar moeder heeft haar gebracht. Ze kan niet eens alleen naar school komen ...'

IJskoud word ik vanbinnen. Ik durf mijn hoofd niet te draaien. Ik wil niet weten wie dat allemaal zegt. Maar de stemmen gaan alweer over andere dingen.

'Zeg, heb jij mijn glitterpen gezien?'

'Kom je vanmiddag bij me spelen?'

Iemand duwt tegen mijn rug. Ik draai me om. Het is Karlijn.

'Astrid, wil je mijn gum oprapen? Hij is onder jouw tafel gerold.'

'Mag ik weer aan het woord?' De luide stem van juf Paulien doet alle andere zwijgen. Alleen hier en daar klinkt nog onderdrukt gegniffel.

Zoë komt naast me zitten. Ik durf haar niet aan te kijken. Na wat ik daarnet heb gehoord, verwacht ik een heel andere Zoë. Die wil ik niet zien.

'Heeft iedereen zijn blaadje met de toets van breuken?' vraagt juf.

Ik heb amper gemerkt dat juf die heeft uitgedeeld. Ik kijk naar mijn blad. Ik zie de cijfers wel, maar ze dringen niet binnen in mijn hoofd. Daar zit nog te veel gegons van stemmen.

Na een poos zie ik wat er staat. Breuken, dezelfde als die van gisteren, dezelfde als die uit de schriften van mijn broers waar ik af en toe ook oefeningen uit maak, dezelfde als die die ik allang kan oplossen. Papsimpel. Ik ben zo klaar.

Ik houd mijn hoofd onbeweeglijk. Maar ik draai wel met mijn ogen, ik draai ze net als een kameleon in de richting van Zoë. Ze zit met haar neus op haar blad. Wat zit ze toch te knoeien. Ze haalt door, ze gumt weg.

Ineens richt ze haar hoofd op. 'Mag ik jouw blad even? Ik wil zien of we dezelfde uitkomsten hebben.'

Wat moet ik doen? Mijn ogen gaan heen en weer over de klas. Niemand kijkt naar ons. Heel vlug schuif ik mijn blad naar haar toe. Uit mijn ooghoek zie ik hoe ze er haar arm als een scherm voor houdt. Dan kijk ik met opzet weg van haar.

Niemand hoeft te zien dat ik haar even help.

'Astrid, kijk uit, Zoë spiekt,' hoor ik.

Wie heeft dat gezegd? Heb ik dat wel goed gehoord? Het is ineens heel stil. Alsof iedereen heeft afgesproken dat iemand dat maar één keer zegt.

Zoë geeft mijn blad al terug.

'We hebben dezelfde oplossingen,' zegt ze tussen haar tanden. Ze zegt het niet tegen mij. Ze zegt het tegen haar blad.

'Iedereen klaar?' vraagt juf Paulien. 'Verwissel dan je blad met dat van je buur en verbeter het werk van de ander.'

We ruilen onze blaadjes. Juf schrijft de oplossingen op het bord. Ik kan het bijna niet geloven, Zoë heeft maar twee van de tien oefeningen juist.

'Zoë, hoe kan dat nou?' zegt juf Paulien als ze onze blaadjes ophaalt. 'Je huiswerk was helemaal oké en van je toets breng je niets terecht. Blijf je tijdens het speelkwartier even bij me?'

'Ja,' zegt Zoë zacht.

Barst de spotlach van de klas nu los? Nee, het blijf stil. Juf Paulien loopt naar voren. Ze schrijft iets op het bord. Ik staar ernaar, want ik wil Zoë niet aankijken. Ik doe alsof ik heel goed oplet. Maar ik hoor niets van wat juf Paulien zegt.

Tot de bel voor het speelkwartier gaat.

'Juf Paulien zal gauw doorhebben dat Zoë het niet kan, Astrid.'

'Astrid, speel je mee tikkertje?'

'Hé, Astrid, je hoeft niet op Zoë te wachten.'

'Astrid, Zoë spiekt altijd, ze heeft vast alles fout van jou afgeschreven.'

'Zoë kan helemaal niet rekenen.'

Er komt een hele groep om me heen staan.

'Ik dacht al dat ze het niet kon,' zeg ik en ik probeer mijn gezicht heel glad te houden.

'Nu pas?' Johanna staat vlak naast mij. De spotrimpeltjes rond haar ogen fronsen samen.

'Ze zei tegen me dat ze goed was in rekenen,' zeg ik.

'Ze liegt,' zegt Johanna. 'Haar moeder helpt haar bij haar huiswerk.'

'O,' doe ik. 'Dat is niet eerlijk. Je moet het toch zelf doen.'

'Tuurlijk,' zegt Johanna. 'Je moet het zelf doen. En je moet er ook niet mee opscheppen. Zoals Zoë. Of haar moeder. Die vertelt tegen iedereen dat Zoë te vroeg geboren is, maar toch altijd alles kan. Bah!'

'Bah!' zeg ik Johanna na. Ik kan niet anders.

'Zoë is een uitsloofster.'

Ik knik.

'Een moederskindje.'

'Ja.'

'Ja,' knikt de groep met me mee.

'En nu is ze aan het slijmen bij de juf,' zeg ik.

'Zeg, Astrid, doe je mee tikkertje?' vraagt Benny.

Ik ren de speelplaats op. Ik hol mee met tikkertje. Maar ik tik niemand. Ik wil alleen maar rennen.

Zoë

Na de bel voor het speelkwartier blijf ik op mijn plaats zitten. Ik wil het niet, maar ik wil ook niet gaan spelen. Astrid weet nu alles en terwijl ik hier zit, zullen de opperheks en de heksen en tovenaars en alle anderen haar betoveren, zodat ze me niet meer wil zien, zodat ze mijn vriendin niet meer wil zijn.

Juf komt naar me toe. Ik zet me schrap.

'Zoë.' Ze glimlacht. 'Het lukt niet al te best met de breuken, hè?'

'Ik … eh … kon het plots niet meer. Ik voelde me gisteren niet lekker en vanochtend …'

'Heb je je verslapen?' zegt de juf. 'Ja, dat stond in het briefje van je mama. Dat overkomt me ook weleens.'

Ik buig mijn hoofd.

'Vertel eens,' zegt de juf. 'Wat vind je zo moeilijk?'

Ik wil heel veel zeggen. Dat het gisteren wel ging, maar vanochtend niet omdat ik te laat was en vooral omdat ik toverformules hoorde die steeds harder klonken tot mijn oren ervan tuitten en mijn te kleine hoofd op barsten stond. Er kon geen rekenoefening meer bij.

Juf Paulien komt naast me zitten. Ze buigt zich naar me toe. Haar lange haren vallen naar voren en ik ruik haar geur van bloemetjes. Een beetje anders dan de bloemetjes van Leni, maar toch …

'Zal ik het nog eens uitleggen?' vraagt juf Paulien.

Ik knik. Ik ben alleen met juf. Met juf Paulien. Met lieve juf Paulien. De toverformules ebben langzaam weg.

Juf legt het nog eens uit. De tellers en de noemers, dat weet ik al. Tellers staan boven aan de top. Ik moet de noemers hetzelfde getal geven en dan de tellers vermenigvuldigen ...

Het gaat goed. Net als bij Leni. Ik kan het wel.

En dat zegt juf Paulien ook. 'Zie je wel! Je kunt het! Als je het niet snapt, mag je het altijd vragen. Ik leg je alles nog eens uit. In het speelkwartier, of na schooltijd.'

Ik houd mijn lippen op elkaar.

Juf houdt haar hoofd schuin, ze maakt zich kleiner, ze probeert in mijn ogen te kijken. 'Ik wil je graag helpen, Zoë.'

Ze zegt het heel erg zacht. Ik word er helemaal week van.

'Ja,' zeg ik. Maar ik wil het niet. Mama helpt me. En Leni. Zij leggen me alles uit. En dat hoeft niemand te weten. Astrid niet. En ook juf Paulien niet.

Astrid

'Ik was gisteravond ziek,' begint Zoë als we naar huis lopen. 'En vanochtend heb ik me verslapen.'

'Ja,' zeg ik. Ik durf haar niet te vragen of dat wel waar is.

'Vanochtend voelde ik me nog altijd niet lekker. Vandaar dat ik die toets niet kon. Dat heb ik daarnet ook tegen de juf gezegd.' Zoë zegt het erg luid. Alsof ze zeker wil zijn dat ik het goed hoor.

'Natuurlijk,' zeg ik. Moet ik dan zeggen dat ze liegt?

'Wacht,' zegt ze. Ze bukt zich en doet haar boekentas open.

Ik wacht niet. Ik loop gewoon door. Wat denkt Zoë wel! Dat ik haar zomaar geloof? En dan hoor ik haar zeggen: 'Ik moet je Zori nog geven.'

Langzaam draai ik me om. 'Gooi hem dan!' Ik houd mijn handen open.

Zoë gooit, maar veel te hard. Zori vliegt in een grote boog over me heen. Ik spring nog op, maar kan hem net niet vangen. Met een plofje landt hij ergens achter mij.

'O.' Zoë's ogen staan groot. De hand voor haar mond houdt haar schrik binnen. 'Zori is over de afsluiting van die tuin gegaan.'

Ik draai me om. Slappe sla, zwarte bananenschillen, halfvergane bladeren en dode takken: een composthoop. En daarboven op Zori. Een raar rood stuk vuilnis.

'Ik bel wel aan,' zeg ik, 'om te vragen of we Zori uit de tuin mogen halen.' Mijn vinger ligt al op de bel. Intussen voel ik Zoë in mijn rug. Ze durft vast niet naast me te komen staan.

We wachten. Ik druk nog eens op de bel. We horen binnen in het huis gerinkel, maar er komt niemand opendoen.

'Niemand thuis,' zegt Zoë. 'Ik wil …' Ze slikt. 'Ik wil wel over die afsluiting klimmen.'

'O ja?' daag ik haar uit. Ze doet toch wel extra lief.

'Als je met je handen een trapje maakt, kom ik makkelijker aan de overkant,' zegt ze.

Hoor ik een trilling in haar stem?

Ik doe wat ze vraagt. Ze stapt in mijn beide handen, slaat haar been over de omheining, stapt over de composthoop, raapt Zori op en zet dan haar voet op de draad om weer terug te komen. Ze staat alweer naast mij.

'Zori,' juicht ze en ze stopt hem in mijn hand.

'Dank je,' zeg ik zacht. Plots lijkt het alsof vanochtend er nooit is geweest.

'Dag Zoë, dag Astrid,' klinkt het achter ons.

Ik draai me om. Achiel staat achter mij.

'Achiel!' zeggen we tegelijk.

Achiel kijkt onderzoekend naar de composthoop. Natuurlijk wil hij het weten.

'Zori lag op die composthoop,' vertel ik vlug. 'Die mensen waren niet thuis. Daarom is Zoë over die draad geklommen om hem zelf te halen.'

'Zori?' vraagt Achiel.

We kijken elkaar aan.

'Zori is van ons tweeën,' zeg ik. Ik houd hem aan zijn ringetje vast en laat hem tussen ons in heen en weer schommelen.

'Hij heeft twee letters van Astrids naam en twee van de mijne,' zegt Zoë.

'O.' Achiels mond is rond en hij blijft in een o'tje openstaan. 'Zori,' herhaalt hij dan. 'Dat is mooi.'

Ik krul mijn tenen in mijn schoenen. Is het nog zo mooi?

'Die composthoop is geen plaats voor Zori,' zegt Achiel.

Nee, denk ik, die hoort bij ons. Bij Zoë en bij mij. Maar als Achiel weggaat, zeg ik tegen Zoë: 'We nemen Zori niet meer mee naar school. We kunnen hem beter na school bij ons thuis ruilen.'

'Goed,' zegt Zoë. Ze buigt haar hoofd.

Zoë

Onze klas heeft met een tekenwedstrijd een uitstap naar een indoorpretpark gewonnen. Ik loop rond met een groepje kinderen, maar Astrid is er niet bij.

Gisteren speelde ze ook al niet met mij. Ze speelde met het kliekje van Johanna. En na schooltijd kwam haar moeder haar halen om naar de tandarts te gaan. Ze had geen tijd om Zori aan mij te geven. Ik heb de hele avond gewacht tot ze naar me toe zou komen, maar ze kwam niet. En ik durfde Zori niet te gaan vragen. Vannacht heb ik dus zonder Zori geslapen.

Plots zie ik Astrid weer. We komen gelijk aan bij een paal met stoeltjes eromheen. Ze gaat zitten en ik ga in het stoeltje naast haar zitten. Ik kijk Astrid aan, maar zij kijkt weg. Alsof ze me niet kent.

Ik word tegen de rug van het stoeltje gedrukt en voel mezelf omhooggaan. Ik sluit mijn ogen. Harder en harder ga ik de hoogte in. De lucht zoeft langs mijn wangen, armen, benen. Ineens staan we stil. En dan vallen we.

'Aaah!' Ik hoor mijn eigen schreeuw niet, want iedereen schreeuwt met me mee. Een schok. Is het gedaan? Nee, alles begint opnieuw. Mijn lichaam plakt tegen de stoel. En dan val ik weer zomaar in het ijle. En dan weer naar omhoog. Omlaag, omhoog, omlaag, omhoog … Wat griezelig leuk.

We zijn weer bijna aan de top. Nu gaan we vallen. Maar

we vallen niet. Mijn benen wegen zwaar. Naast mij hoor ik gillen, schreeuwen, tieren. Ik krijg niet genoeg adem om te roepen.

Ik zet mijn ogen op een kier: we hangen in de lucht, heel hoog. In een flits zie ik het park. En Astrid.

'Astrid?'

Ze antwoordt niet. Ze zet haar tanden in haar lip en haar ogen zijn stijf dicht.

Ze is bang! Net als ik.

En dan vallen we. Ik duw mijn nagels in mijn billen. Mijn hart gaat wild tekeer.

Beneden helpt iemand ons uit onze stoeltjes.

'Niet te veel geschrokken?' vraagt een mannenstem.

'Nee, ja.' De wereld kantelt en ik ga op de grond zitten.

'Sorry,' zegt de man die ons uit het stoeltje bevrijdt. 'De elektriciteit viel even uit. Daarom bleven jullie hangen. Alle andere tuigen uit het pretpark stonden ook stil. Om van de schrik te bekomen, mogen jullie nog een keer extra in dit tuig.'

Ik schud mijn hoofd en wil zeggen: kom Astrid, wij zijn weg.

'Bangerik,' hoor ik.

En dan nog eens: 'Bangerik.' Dit keer de stem van Astrid. Ze staat vlak naast Johanna. Ze stapt in een stoeltje.

Ik blijf staan. Stokstijf.

Jij bent toch ook bang, wil ik zeggen. En niet alleen van dat tuig, weet ik ineens.

Maar ik zeg het niet. Mijn mond zit op slot.

Astrid

'Ik moet je Zori nog geven,' zeg ik tegen Zoë als we samen naar huis lopen.

'Ja,' zegt Zoë.

Ik hoor mezelf weer 'bangerik' zeggen.

'Ik ben hem gisteravond vergeten te brengen.'

'Ja,' zegt Zoë.

En ik zie Zoë's gezicht weer nadat ik 'bangerik' heb gezegd.

'Het was al zo laat.'

'Ja,' zegt Zoë. 'Dat dacht ik al.'

Ze gelooft me niet. Waarom zeg ik niet dat ik ook bang was? En niet alleen van die paal met stoeltjes.

We staan voor mijn huis.

'Wacht even in de hal, Zori ligt boven,' zeg ik.

Ik hol de trap op, gris Zori van mijn werktafel. Hij brandt in mijn handen, ik moet hem zo vlug mogelijk aan Zoë geven.

'Hier,' zeg ik als ik weer beneden ben en dan in één adem: 'Zin om nog even op de computer te spelen?'

'Eh … ik moet ik eerst even aan mama …' Zoë houdt Zori tegen haar hart geklemd.

Dan breekt er een lach door op haar gezicht. 'O, het is dinsdag vandaag, dan komt mama later thuis. Ik hoef het niet te vragen.'

We spelen een spel waarbij je een huis moet bouwen. Zoë

begint met de keuken ik maak de living, we laten een vader en een moeder en drie kinderen in het huis wonen.

Het is zo fijn om alleen met Zoë te spelen!

Zoë

Ik lig in bed en wacht. Op een nachtzoen van papa. Straks komt hij thuis. Hij is weer een hele week weggeweest. Eindelijk hoor ik zijn auto de garage in rijden. Ik wacht. Waarom komt hij niet meteen naar boven? Ik hoor mama's stem en dan zijn stem.

Ik loop naar beneden om te vragen waar hij blijft, maar voor de deur van de huiskamer blijf ik staan. Papa en mama praten. Over mij. Ze doen dat met ingepakte woorden. Zo praten ze altijd als het niet goed gaat met mij.

Ze moeten niet over mij praten! En zeker niet zo lang! Ik wil papa zien! Ik wil binnengaan, maar ineens springen de woorden uit hun pakjes. Ze wringen zich door alle reten en kieren naar buiten.

'Zoë trekt toch wel erg veel met Astrid op,' hoor ik mama zeggen.

'Dat is toch oké,' zegt papa. 'Je bent toch blij dat Zoë een vriendinnetje heeft en dat ze samen kunnen spelen.'

'Ja, maar dinsdag bleef Zoë bij Astrid op de computer spelen zonder het me te vragen.'

'Tja,' zegt papa. 'Voor één keertje.'

'Ze had haar huiswerk toen nog niet gemaakt en ik heb haar die avond nog heel lang moeten helpen. Vandaag maakte ze natuurlijk weer een slechte toets voor rekenen.'

'Een slechte toets, zo erg is dat toch niet,' bromt papa.

'Ze doet het al een poos slecht voor rekenen. Ik weet echt niet hoe lang ik dit nog volhoud.' Mama's stem wordt licht en dun. 'Ik ben al deeltijds gaan werken om haar te kunnen helpen en toch …'

'Maar tot nu toe ging het toch altijd goed,' zegt papa.

'Ja! Nee! Als Zoë mooie cijfers haalt, heeft ze die wel omdat ik haar altijd help, omdat ik haar dóé oefenen, omdat ik me uitsloof. Maar ze vergeet telkens weer wat ik haar leer.'

Het wordt stil.

'Zoë kan het écht níét,' zegt mama en ze drukt op de 'echt' en de 'niet'.

En dan hoor ik alleen maar snikken. Ik duizel en toch val ik niet om. Mijn voeten lijken vastgevroren aan de tegels van de hal. In de huiskamer worden de stemmen steeds luider, zo luid dat ik ze niet meer kan verstaan.

Ineens gaat de deur met een ruk open. Papa stormt naar buiten. Ik maak me klein, duw mezelf in de hoek van de hal. Papa ziet me niet. Harde voetstappen tikken tegen de tegels, de voordeur slaat dicht. Plotseling is het veel stiller. Uit de huiskamer komt alleen nog maar gesnik.

Ik vlucht naar boven, kruip weer in bed.

De woorden van papa en mama kaatsen in mijn hoofd, blijven in mijn hoofd kaatsen.

Astrid

Juf Paulien vertelt dat er binnenkort een open dag is. Op zo'n dag komen onze ouders naar school kijken hoe wij leren. Maar we moeten niet zenuwachtig zijn, zegt juf Paulien, we moeten doen alsof onze ouders er niet zijn, onze reken- en taaloefeningen maken en gewoon goed opletten, zoals anders.

Maar juf Paulien is nog meer van plan. We gaan een journaal maken, net zoals op televisie, vertelt ze. Maar dan met het nieuws uit onze klas. We hebben nieuws genoeg, zegt ze: we zijn naar het bos geweest en naar de afvalmaatschappij en naar het indoorpretpark. Over dat alles kunnen we heel wat vertellen.

Juf Paulien zegt dat iedereen aan dat journaal kan meedoen en dat iedereen iets mag doen waar hij goed in is. Een groep kinderen maakt tekeningen en laat die zien, een groep zingt een lied en een groep speelt toneel.

Juf zoekt ook vijf nieuwslezers. Daarom moeten we een proefje afleggen. We moeten allemaal een stukje voorlezen. Wie goed kan voorlezen, kan nieuwslezer worden.

We krijgen allemaal een tekst en al snel is het mijn beurt. Ik wil graag nieuwslezer zijn. Maar niet overdreven goed je best doen, Astrid, zeg ik zachtjes tegen mezelf.

'*Dames en heren, goedemiddag.*' Ik probeer de bibber uit mijn stem te praten en te lezen als een nieuwslezer op televisie. *'Eerst even de hoofdpunten van het nieuws uit onze klas. We gingen met z'n allen naar een indoorpretpark. Een verslag van onze verslaggever ter plaatse …'*

'Goed zo, Astrid,' onderbreekt de juf me. 'Zoë, jij mag verder gaan.'

Zoë

Mijn mond is droog. Ik slik. Ik zie de woorden op het blad, maar krijg ze niet over mijn lippen. Ik hang weer in het stoeltje met mijn benen in het ijle.

'*Een groep kinderen …*' piep ik.

'Een beetje harder praten, Zoë,' zegt juf Paulien.

… zaten met z'n allen in stoeltjes om een paal, zie ik staan.

'*… z-z-zaten … s-stoeltjes … p-paal …*'

Het lukt me niet. Ik kan het niet. Niet meer. De opperheks is aan het werk en samen met haar de heksen en tovenaars. Ze priemen hun ogen door mijn lijf. Ze zeggen toverformules op, niet hardop, maar binnen in hun mond. Zoë kan het niet. Echt! Niet! Ze kan niet rekenen, ze kan ook al niet meer lezen. Haar hoofd is veel te klein.

Mijn tong is lam, de woorden op het blad vallen uiteen in letters.

Ik ben helemaal betoverd.

'Goed zo, Zoë,' hoor ik juf Paulien zeggen. 'Karlijn, ga jij verder?'

Mijn oren suizen. Ik hoor niets meer. Ik denk niets meer. In mijn hoofd kan niets meer binnen.

Astrid

Wat heeft Zoë toch? Ze kan toch hardop lezen? Niet zo goed als ik, maar toch. Nu bakt ze er echt niets van. Wat moet ze zich rot voelen. Maar ik vraag haar niet wat er scheelt. Iedereen kijkt naar ons, naar Zoë en naar mij.

Als iedereen zijn tekst heeft gelezen, zegt juf wie wat mag zijn. Ik ben nieuwslezer! En Zoë, die moet iets uitbeelden.

Dan gaat de bel voor het speelkwartier.

Ik zet me schrap. Opletten, Astrid, zeg ik in mezelf. Wat zullen de anderen ervan denken dat ik nieuwslezer ben? Gewoon doen, por ik mezelf aan. Doen alsof je dat echt niet had verwacht.

'Brr, ik moet voorlezen,' zeg ik als ik op de speelplaats kom en ik hoop dat ik een beetje bang klink.

'O, maar jij doet dat toch goed.' Johanna wuift met haar hand mijn onrust weg. En dan hoor ik haar zeggen: 'En Zoë, telefoneert jouw moeder vanavond met juf?'

Zoë zwijgt en buigt haar hoofd.

Waar heeft Johanna het toch over?

'Jouw moeder praatte vorig jaar toch ook met meester Ludo, hè. Voor die rol, weet je nog? Ze wil deze keer vast ook een betere rol voor jou,' zegt Johanna. Rond haar ogen trekken de spotrimpeltjes zich samen. 'Het nieuws lezen misschien?'

'Dat kan Zoë toch niet,' zeg ik. Met vaste stem.

'Tuurlijk kan ze dat niet.' Dat zegt Johanna. Ze zegt het vrolijk.

Ik glimlach. Maar op hetzelfde ogenblik lijkt het alsof er een zware steen over me heen rolt.

Zoë

Ik kan het niet! Zelfs Astrid zegt het. Waarom doet ze dat? En waarom doet ze alsof ze bang is om voor te lezen? Zij kan het toch wel.

Astrid liegt! En ze doet mee met de opperheks en de heksen en tovenaars! Waarom? Waarom? Waarom? Of snap ik dat ook al niet met mijn veel te kleine hoofd?

Juf Paulien deelt blaadjes uit. Op die blaadjes staat onze rol. Op Astrids blaadje staat heel veel, op het mijne bijna niets. PRETPARK: *uitbeelden hoe spannend het is om in een tuig vast te zitten. Laten zien hoe bang je dan kunt zijn. Meebrengen: shorts en* T-shirt.

Dat kan ik dus wel, laten zien hoe bang ik ben.

Wat moet ik mama vanavond zeggen? Ze vindt mijn rol vast niet goed genoeg. Ze wil vast iets beters. Net zoals vorig jaar.

Vorig jaar was ik op de open dag goed in bloem zijn, dat vond meester Ludo toch. Ik droeg een groen pak met een rode stijve kraag en moest alleen maar met mijn hoofd wiegen. Wie goed kon dansen, kreeg een betere rol. Die mocht ook meer doen. Die kon tussen de bomen en de bloemen huppelen en die liet alles groeien en bloeien.

Mama was boos omdat ik zo'n idiote rol had. Ze belde meester Ludo om te vragen of ik een betere rol kon krijgen dan alleen maar bloem zijn. Maar meester Ludo zei dat de rollen al verdeeld waren en dat hij niet van plan was om daar iets aan te veranderen en dat de helft van de klas trouwens boom of bloem was.

De volgende dag nam meester Ludo me na de les even apart. Hij zei me dat elke rol belangrijk was en dat ik mijn moeder niet moest laten bellen om een andere rol te kunnen krijgen. Hij keek heel kwaad naar mij. En toen ik de klas wilde uitgaan, zag ik enkele heksen en tovenaars in het deurgat staan. Ze hadden alles gehoord! Ze zeiden niets. Ze keken alleen maar, en hun boze toverogen prikten. De opperheks zou alles meteen te weten komen. Maar ik wilde toch helemaal geen andere rol!

En nu? Wil ik nu een betere rol? Ik kan toch hardop lezen! Nee, ik kon hardop lezen. Nu niet meer. Ik kan niets meer.

Als de bel voor de middagpauze gaat, zie ik de witte randjes van Astrids blaadje met haar rol uit haar agenda steken. Ik kan mijn ogen er niet van afhouden … Zal ik?

Astrid

We lopen samen naar huis en Zoë zwijgt heel hard. Ze loopt voorop en ik haal haar niet in. We lopen steeds verder uit elkaar. Zo hoef ik Zoë niets te zeggen, niet te zeggen dat ik niet wilde zeggen dat ze niet hardop kan lezen. Hoewel het wel waar is.

Zoë is al bijna thuis en ik hol niet om bij haar te zijn om te vragen of ik Zori krijg. Terwijl het wel mijn beurt is om voor hem te zorgen.

Zoë heeft Zori vandaag heel hard nodig.

Zoë

'Over drie weken is het een open dag,' leest mama in mijn agenda. 'Wat doen jullie deze keer?'

Ik vertel haar over het journaal dat we met z'n allen gaan maken en dat er nieuwslezers zijn die het journaal voorlezen en anderen die een tekening maken of toneel spelen of een lied zingen.

'Jij bent toch nieuwslezer?' vraagt mama. 'Want jij kunt goed voorlezen.'

'Ja hoor,' zeg ik en ik probeer mijn stem heel vast te laten klinken. 'Ik heb mijn rol al mee.' En ik laat haar het blad met de rol van Astrid zien.

'O, wat goed!' Mama pakt mijn gezicht met beide handen vast, ik krijg een zoen op mijn voorhoofd en dan drukt ze me tegen zich aan. Ik krijg het veel te warm.

'Wat moet Astrid doen?' vraagt mama.

'Ook het nieuws lezen,' fluister ik.

'Dan ben je even goed als Astrid. Zie je wel dat je het kunt!' Mama zegt het heel enthousiast. Toch word ik niet blij.

'We zullen samen oefenen. Dan kun je iedereen laten zien hoe goed je het kunt.'

Ik wil best oefenen, maar ineens weet ik dat ik zelfs dát niet kan.

'We oefenen alleen op school, mam,' zeg ik.

'Maar …'

'De juf heeft gezegd dat ik het heel goed doe.'

'O ja?' In mama's stem zit twijfel.

Ik houd Zori dicht bij mijn neus. Hij ruikt lekker, naar Zori en een beetje naar Astrid.

'Ik pikte Astrids rol niet met opzet,' fluister ik in zijn oor.

Zori zegt niets.

'Zeg ik haar morgen dat ik per ongeluk haar blaadje heb meegenomen?'

Zori zegt nooit iets.

Ik hoor Astrid weer: *Dat kan ze niet.* Boze toverwoorden …

'Is Astrid ook betoverd?' vraag ik. Ik zie haar weer vlak naast Johanna staan en tegelijk vlak tegenover mij. Astrids mondhoeken krullen. Maar ze durft me niet aan te kijken.

'Astrid laat zich wat graag betoveren, hè, Zori?'

Zori luistert.

'Waarom? Waarom, Zori? Heeft het soms iets te maken met haar wens?'

Zori antwoordt niet.

Astrid

Het is ochtend. Ik moet naar school. Ik ben het eerst buiten, maar ik loop niet naar de overkant. Ik wacht. Ik kijk naar de overkant. Ik ga niet aanbellen bij Zoë. Ik ben boos. Ik ben boos op Zoë.

Zoë's voordeur gaat open. Ze komt naar buiten. Ze heeft iets in haar hand. Het is Zori. Ze laat hem aan mij zien, hij bungelt tussen haar duim en wijsvinger. Ze wil Zori aan mij geven. Ze wacht en houdt haar hoofd schuin. Ze vraagt zich af waarom ik niet naar haar toe kom. Ze aarzelt en steekt de straat over.

'Wat heb jij aan je mama verteld?' zeg ik. Heel hard.

Zoë opent haar mond.

'Gisteren kwam ik jouw mama tegen in de supermarkt en weet je wat ze zei?' Ik wacht niet op een antwoord. 'Ze zei apetrots: "Wat goed, hè, dat jullie samen nieuwslezers zijn. Wat een mooie rol. En Zoë is er ook zo blij mee."'

'Ik kan het uitleggen …'

'Ik wist niet wat ik hoorde! Thuis heb ik meteen het blaadje met mijn rol uit mijn boekentas gehaald. En toen zag ik jouw blaadje, het blaadje met jouw rol. Je hebt onze blaadjes verwisseld! Met opzet!'

'Niet waar!'

'Je bent gewoon jaloers op mij. Omdat ik een mooie rol

heb. En niet alleen daarom. Ik heb je wel door, hoor. Je bent gewoon jaloers op alles.'

Ik zie Zoë's hoofd bewegen, van links naar rechts, maar ik zie het in een mist. Want in mijn ogen zitten tranen die alles wazig maken.

'Het is allemaal waar wat Johanna en de andere kinderen zeggen: je liegt, je slijmt bij de juf, je spiekt bij mij, je mama helpt je bij je huistaken. Allemaal om zo goed te zijn dat je moeder bij iedereen kan opscheppen en vertellen hoe knap haar Zoë wel is. En je pikt daar zelfs mijn rol voor. Uitsloofster! Slijmerd! Moederskindje!'

Ik schrik van mijn eigen stem. Mijn ogen knipperen en ineens zie ik Zoë weer staan: een wit masker met heel grote gaten waar haar mond zit, waar haar ogen zitten. Haar handen die vuisten worden. In één hand wordt Zori dun. Heel erg dun.

Zoë draait zich om en steekt de straat over.

'Zoë?!'

Ik loop haar achterna.

Zoë

Ik kijk niet achterom. Ik wil alleen maar ver weg zijn en vlucht. Ik ren, ik hol tot mijn adem op is. De lucht giert door mijn keel, mijn hart hamert in mijn borstkas en ik voel steken in mijn zij. Dan zie ik waar ik ben: op 't Pleintje. Wild kijk ik om me heen. Ik ben alleen, maar het is alsof iedereen me kan zien. Vlug duik ik achter de struiken en ga op mijn hurken zitten.

Ik ben er niet.

Astrid

Ik doe mijn ogen open en zie veel gezichten.

'Heb je pijn?' vraagt iemand.

Ik schud mijn hoofd en wil overeind komen. En dan voel ik mijn been.

'Au.'

'Blijf maar rustig liggen.' Iemand wil me weer tegen het wegdek duwen. Maar ik wil liever zitten.

'Wat is er gebeurd?' vraag ik.

'Je stak over en toen ben je tegen een bromfietser opgebotst,' zegt iemand. 'Er komt meteen een ziekenwagen. Je wordt zo verzorgd.'

'Ik zat op die bromfiets,' zegt een jongeman. 'Met mij is alles in orde, hoor. En met jou?'

Ik ben alleen maar pijn.

Zoë

Uitsloofster, slijmerd, moederskindje.

Was het Astrid die dat zei?

Ik duw mijn handen tegen mijn oren en dan pas merk ik dat Zori in mijn rechterhand geklemd zit.

Ik gooi hem weg. Heel erg hard gooi ik hem weg. Hij belandt in een struik, maar het metalen ringetje blijft aan een tak hangen. Zijn armen en benen bungelen in het ijle. En hij staart me aan.

Weg, Zori!

Hij blijft me aanstaren.

Ik kom overeind, ruk Zori van de tak en dan zie ik Achiel. Hij komt net op 't Pleintje aan en gaat op de bank zitten.

Ik blijf staan. Onbeweeglijk. Met mijn adem in mijn longen. Achiel blijft gewoon op de bank zitten. Hij heeft me niet gezien.

Ik duik weer achter de struiken, waar ik blijf zitten. En Achiel blijft ook zitten. Een hele poos. Terwijl ik heel hard in Zori knijp.

Ineens weet ik wat ik met hem zal doen.

Zo stil als ik kan, sluip ik weg achter de bank waarop Achiel zit.

Astrid

Ik ben in het ziekenhuis en mama is bij mij. Ze zegt dat het niet erg is en dat zegt de dokter ook. Ik heb wat schrammen, die voel ik wel, maar vooral mijn been doet pijn. De dokter maakt er foto's van en legt ze op een lichtbak. Mijn enkel is gebroken, maar het is geen moeilijke breuk. Over enkele weken zal het genezen zijn, dat zegt de dokter toch.

Ik mag in een rolstoel zitten en mama duwt me naar de verbandkamer. Daar moeten we even wachten. Mama blijft dicht bij me zitten. Ik voel bijna geen pijn meer en krijg het lekker warm.

'Wat is er gebeurd?' vraagt een dame aan mama. Ze vraagt het op fluistertoon, alsof ik niet mag weten hoe nieuwsgierig ze wel is.

'Astrid is gevallen,' zegt mama.

'O, gevallen,' herhaalt de dame. Ze gelooft het maar half. Het is ook maar half waar. Ik ben niet zomaar gevallen, ik ben omvergereden door een bromfietser. Want ik stak de straat over zonder uitkijken.

Ik wilde Zoë achterna.

Zoë

Deze keer mag het niet per ongeluk zijn, deze keer moet ik heel goed mikken. Zori moet echt weg. Voor altijd.

Ik gooi Zori over de afsluiting. Met een plofje belandt hij op de composthoop: slappe sla, zwarte bananenschillen, halfvergane bladeren, dode takken. Ik zie Zori zelfs niet meer.

Mijn hand is ineens zo leeg, en niet alleen mijn hand. Ik wil hier weg. Ik draai me om. Maar … waar moet ik heen?

Naar huis? Daar is toch niemand. En als mama te weten komt wat ik gedaan heb …

Naar school? Is Astrid al op school? Wat zeg ik als ik haar straks weer zie? Zeg ik haar toch dat ik het blaadje met haar rol niet met opzet in mijn boekentas heb gestopt? Ze zal me nooit geloven.

Ik recht mijn rug. Dan is ze maar boos! Ik ga naar school. Of … toch maar niet? Ik zie Achiel van 't Pleintje komen. Hij komt deze kant op. Hij zal willen weten waarom ik hier ben, wat ik hier doe. Hij hoeft niets te weten! Er is helemaal niets! Niets meer!

Ik zet het op een lopen.

Astrid

Ik zit thuis op de bank. Ik mag de hele dag televisie kijken en ik heb een grote mand met snoep naast mij staan. Mama blijft vandaag thuis om voor mij te zorgen. Ze hoeft natuurlijk niet echt voor mij te zorgen. Ik ben niet zo zwaar gewond, en met mijn krukken kan ik overal naartoe. Toch ben ik blij dat mama er is. Ze doet wat werk in huis en ze komt af en toe de kamer in. Ze vraagt niets. Maar elke keer als ze binnenkomt, lijkt het alsof ze wacht tot ik iets zal zeggen. Ik zegt niets. Ik kijk strak naar de televisie en probeer niet te denken aan wat er gebeurde voor ik mijn been brak.

De telefoon gaat over en mama antwoordt. 'Nee,' zegt ze en 'wat vreemd' en 'nee, hier is ze niet'.

'Zoë is niet op school,' zegt ze en ze legt de hoorn neer.

'O,' doe ik en ik kijk strak naar de beelden op het scherm.

'Ze is vanochtend niet aangekomen op school en ze is ook niet thuis.'

Het wordt stil. Alsof mama wil nadenken over wat ze daarnet heeft gezegd. Of wil ze mij doen denken?

'Astrid, wat is er toch gebeurd? Jij gaat toch elke dag samen met Zoë naar school. Heb jij haar vanochtend nog gezien?'

Ik buig mijn hoofd. 'Ja.'

Mama komt naast me zitten. 'Astrid toch, wat scheelt er?'

Ik kan niet anders, de warmte van haar stem doet me praten: 'We hebben ruzie.'

'O,' zegt mama.

In mijn hoofd galmt: *slijmerd, uitsloofster, moederskindje.* Heb ik dat echt allemaal gezegd?

'Wat scheelt er, Astrid? Je rilt, je ziet zo bleek.'

'Ik heb Zoë uitgescholden.'

'Tja,' zegt mama. 'Als je ruzie maakt …' Ze stokt. Ze vraagt niet wat ik heb gezegd.

'Wat deed Zoë na die ruzie?' vraagt ze zacht.

Zoë's witte gezicht, haar grote ogen, haar open mond, haar vuisten die zich ballen en Zori bijna helemaal platdrukken in haar hand. Ik zie het weer allemaal voor me.

'Ze heeft zich omgedraaid, ze is de straat overgestoken, ik ben haar nog nagelopen en toen …'

'Ben je op die bromfietser gebotst,' zegt mama.

Ik knik.

'Waar hangt ze toch uit?' vraagt mama. Haar stem zit verstopt.

De schrik slaat me om het hart. Is er dan iets heel ergs met Zoë gebeurd?

Wat heb ik toch gedaan?

Zoë

Ik ben op school. Te laat natuurlijk. Tegen de directrice zei ik dat ik me verslapen had, maar ze geloofde me niet. Ze zei dat niet, maar ze zei wel dat ik even in de leraarskamer moest wachten. Juf Paulien wilde met me praten.

Heeft Astrid iets verteld? Heeft ze gezegd dat we ruzie hebben? Wil juf het over onze ruzie hebben? De ruzie is toch van ons! Van ons alleen!

Juf Paulien komt binnen. 'Zoë?'

Ik kom al overeind.

'Blijf rustig zitten. Meester Ludo neemt de klas even van me over. 'Wat is er gebeurd?'

'Ik heb me … eh … versl…' Ik slik 'verslapen' in. Ik besef ineens dat mijn smoesje helemaal niet kan. Ik ben veel te laat op school. Het is al veel later dan ik dacht.

'Ben jij vanochtend samen met Astrid naar school gekomen?'

Ik pers mijn lippen op elkaar.

'Astrid heeft een ongeluk gehad,' zegt juf.

Mijn hart begint luid te bonzen.

'Niet zo erg,' zegt juf. 'Ze heeft haar enkel gebroken.'

Een ongeluk, dringt het langzaam tot me door. Hoe is dat gebeurd? Wanneer is dat gebeurd?

'Zoë.' Ik voel de hand van juf op mijn knie. 'Astrid is oké, hoor. Haar mama heeft me net gebeld. Ze moest maar even naar het ziekenhuis. Nu is ze al thuis.'

Een ongeluk? Is dat mijn schuld? Opeens krijg ik geen lucht meer.

Juf schudt met mijn knie. 'Zoë, adem eens diep in en dan weer uit.'

Ik doe wat juf zegt. De schrik ebt maar heel langzaam uit me weg.

'Heb jij dat ongeluk zien gebeuren?' vraagt juf.

'Nee.'

'Wat scheelt er dan? Wat is er toch gebeurd?'

'...'

'Ben je ergens van geschrokken?

'...'

'Zoë, je mag straks naar huis. We hebben je mama verwittigd, omdat je niet op school was. Ze is al thuis en weet dat je nu hier bent. Ze komt je straks halen.'

'Nee,' piep ik. Mijn keel trekt dicht.

'Zoë?' De geur van bloemetjes. Ik kan niet anders, ik durf juf aan te kijken. Ze zit op haar hurken voor me. Ik kijk recht in haar ogen.

'We hebben ruzie,' flap ik eruit.

'Ruzie?'

'Ik heb de rol van Astrid gepikt.'

'O,' zegt juf Paulien. 'Waarom?'

Waarom? Dat kan ik niet vertellen. Dat is de schuld van de opperheks en van de heksen en tovenaars. Zij hebben Astrid betoverd. Zij hebben mij betoverd.

Ik haal mijn schouders op.

'Was je ook liever een nieuwslezer geweest?'

'Ik kan niet hardop lezen.'

'Toch wel, Zoë, jij kunt dat wel. Je bent goed voor taal en lezen. Maar rekenen, daar heb je meer moeite mee, hè?'

Juf houdt haar lippen op elkaar. Ze zegt niets meer. Ze wil dat ik iets zeg.

'Ik ben te vroeg geboren,' zeg ik tussen mijn lippen. 'Mijn hoofd is te klein.'

'Zoë, wat zeg je nu!' Jufs stem kraakt en knettert.

'Maar ik doe wel mijn best. En mama helpt me, elke dag. En mijn zus Leni ook, in de vakantie.' Ik demp mijn stem tot ik mezelf haast niet meer van hoor. 'Ik kan het niet. Echt niet.'

Astrid

Zoë is terecht. Ze heeft een hele poos op straat gelopen en is dan toch naar school gegaan. Dat heeft mama me daarnet verteld.

In mijn hoofd zie ik Zoë over straat lopen. Ze heeft Zori in haar hand. Hoe lang heeft ze daar gelopen? Was Zori al die tijd bij haar? Heeft Zori haar verteld dat ik niet meende wat ik zei? Heeft Zori haar gezegd dat ik wenste dat ze mijn vriendin zou blijven, maar ook dat de anderen me niet zouden pesten?

Zori kan niet praten.

Ik moet het zelf tegen Zoë zeggen. Ik wil Zoë zien, nu meteen. Nee! Ik wil Zoë niet zien. Ik wil Zoë zien. Ik wil Zoë niet zien ...

Zoë

Met open ogen lig ik in bed. Ik staar naar het plafond. Ik voel de knuffel nog die mama me daarnet gaf. Ik kreeg bijna geen adem meer. En ik hoor haar zeggen: ik heb gebeld met papa en verteld wat er is gebeurd. Hij schrok, maar was zo blij dat je nu weer veilig thuis bent.

Papa komt straks naar huis, maar het zal wel midden in de nacht zijn, heeft mama gezegd. Ik moet echt niet wachten tot hij me straks een nachtzoen komt geven.

Morgenochtend zie ik papa weer en Leni zal er ook zijn. Mama en ik zullen aan papa en aan Leni alles vertellen wat juf heeft gezegd. Heel uitgebreid.

Mama heeft nog lang met juf Paulien gepraat. Daarna hebben we ook samen bij haar gezeten. Mijn hoofd is helemaal niet te klein, heeft juf me gezegd. Ik ben alleen wat langzaam voor rekenen. Dat wist ik natuurlijk al. Maar op school was dat nog niemand echt opgevallen. Omdat mama me hielp, ging alles goed. De leerkrachten dachten dat ik een gewone leerling was. En dat ik gewoon kon rekenen, net zoals de meeste kinderen. Maar vorig jaar werd ik ziek, ik miste een stuk leerstof. En toen lukte rekenen niet meer, vooral omdat ik ook een beetje langzaam ben. Ik was letterlijk helemaal de tel kwijt.

Ik moet nu testen afleggen, dan weet juf Paulien waar ik problemen mee heb. De zorgleerkracht zal me helpen en juf houdt me extra in de gaten. Het allerbeste nieuws is dat mama me NIET mag helpen en dat ik maar een halfuur per dag huiswerk mag maken en NOOIT langer.

Juf zei dat het erg was als je voelde dat je iets niet kon terwijl je hard je best deed, en dat je je dan heel erg alleen en dom kon voelen.

Ik heb toen ja geknikt. Maar ik heb haar niets verteld over de opperheks en de heksen en tovenaars. Toch denk ik dat juf iets vermoedt. Ze wil praten in de klas, ze wil zeggen dat je niet mag spotten als iemand iets niet kan.

Ik weet niet of ik dat zo prettig vind.

En ik vind iets anders nog veel minder prettig: morgen ga ik Astrid bezoeken. Dan moet ik sorry zeggen omdat ik haar rol gepikt heb.

Dat durf ik niet, dat wil ik niet ...

Astrid

Zoë zit bij mij.

'Doet het pijn,' vraagt ze en ze wijst naar mijn been.

'Beetje nog.'

'Hoe is het eigenlijk gebeurd?'

'Ik ben de straat overgestoken, zonder te kijken. Er kwam een bromfietser aan,' zeg ik en dan wat langzamer: 'Ik liep jou achterna.'

Zoë slaat haar ogen neer. 'Ik had het niet mogen doen, jouw rol pikken.'

'Ik had … die lelijke woorden ook niet …'

'Nee,' schudt Zoë met haar hoofd.

'Ik moest wel met de anderen meedoen, ik … hu … op de school waar ik vroeger ging …' Hé, wat is het moeilijk. Ik wil zo graag dat Zoë zegt: je hoeft het niet te vertellen, maar ze zwijgt.

'Ze pestten me,' probeer ik weer terwijl ik naar mijn gipsen been staar.

'O,' zegt Zoë. 'En daarom was je bang dat …'

'Ja,' zeg ik vlug. 'Ik vertel het nog wel eens.'

Zoë knikt.

'En Zori?' vraag ik tussen mijn tanden.

'Die heb ik weggegooid,' zegt Zoë.

'O.'

'Mijn wens is alvast niet uitgekomen,' zegt ze. Hard. Kei-hard. Zo hard dat ik bijna niets terug durf te zeggen.

Zoë

Astrid blijft maar naar haar gipsen been staren. Maar het is niet alleen haar been dat pijn doet. Ik zie haar aarzelen: 'Ik denk dat ik weet wat jij hebt gewenst,' zegt ze zacht.

Ik buig mijn hoofd. Misschien haal ik Zori toch van die composthoop.

Misschien kan hij de betovering van de opperheks, de heksen en tovenaars verbreken.

Misschien …